KB122622

등 대

보리수아래 감성 시집 3

도현 홍현승 시집

도서출판 도반

등대가 될 수 있다면

그러니까 그 나이였어 / 시가 / 나를 찾아왔어. 몰라, 그
게 어디서 왔는지, / 모르겠어
(파블로 네루다 / '시'의 일부)

칠레 시인 파블로 네루다의 '시'를 만날 때마다 감사함에
머리가 숙여진다. 나에게 찾아온 시는 나의 모든 것을 변
화시켰기 때문이다.
그렇지만 아직도 글을 쓰는 나 자신이 낯설 때가 있다.
초등학교 때, 국어 시간 시 쓰기 수업은 물론, 일기 쓰는
것도 진저리났던 나였기 때문이다.
그런 어린 시절을 보낸 나에게 오랫동안 다니던 방과 후,
글짓기 수업에서 조용히 시가 다가왔다. 짝사랑한 사람
에게서 다가온 시도 있고 내가 응원하는 가수, 작가와 같
은 예술인이, 한없이 사랑을 주지만 때로는 외로움도 함
께 주었던 가족이 시를 주기도 하였다.

때로는 너무 좋은 나머지, 마루에 실례하는 강아지처럼 날뛰면서 시가 다가오기도 하였고 돌아가신 할아버지를 곁에 두고 눈물, 콧물 질질 흘리며 다가온 시도 있었다. 기쁨으로 다가온 시도, 슬픔으로 다가온 시도 있었지만 하나하나가 소중한 시였다.

그 시들에게 나를 선택해 주어서 정말 고맙다고 말하고 싶다. 더불어 그 시들의 뿌리가 되어준 모든 분과 존재들에게 감사의 인사를 전한다.

글을 쓰게 되면서 감사한 분들을 참 많이 만났다. 대진대학교 문예창작학과에서 지도교수를 맡아 주신 김성렬 교수님, 시 창작을 지도해주신 심재휘 교수님, 보리수아래 감성 시집 시리즈를 기획하여 시집 발간의 기회를 주신 보리수아래 최명숙 대표님께 감사드린다.

그리고 이 시집이 세상으로 나올 수 있도록 도움을 주신 도서출판 도반 김광호, 이상미 대표님께도 감사의 인사를 전하고 싶다.

등대의 존재는 등대지기에겐 넓은 바다를 만나게 하고,
깜깜한 밤바다에 홀로 떠 있거나 혹은 무인도에 남은 사
람들에게는 등대의 아주 작은 빛이 위안이 되기도 한다.
나의 첫 시집도 어떤 이에게는 등대의 작은 빛이 되기를
소망한다.

평범한 일상에 감사하는 어느 날 저녁,
도현 홍현승 두 손 모음

차례

제 1 부
오직 할 뿐

눈 감은 아이에게

- 삼촌, 세상에는 보고 싶지 않은 것들이 많아
- 그래? 그럼 한번 눈을 감아볼래?
- 눈 감으면 아무것도 안 보이잖아? 무서워
- 괜찮아, 네 손 잡고 있을게
- 눈 감았어, 삼촌 내 손 꼭 잡아
- 그래, 잡고 있잖아. 지금 무슨 소리가 들려?
- 구분되지 않아. 여러 소리가 들려. 그냥 시끄러워
- 그래, 맞아 시끄럽지. 여러 소리가 들리니까

그 소리들이 무슨 소리인지 구분되지 않기도 해
하지만 그 소리들이 어떤 것인지는 몰라도
그것만은 기억할래?
이 세상에서 모두 존재하는 소리라는 것,
모두 저마다의 의미를 품고 있는 소리라는 것,
그것만 기억해줄래?

오직 한 명

오직 할 뿐

씨를 심어 싹이 트고
줄기가 올라와 잎이 돋고
꽃이 되어
무럭무럭 자랄 때

주변의 꽃들도
그랬다

다른 꽃들이
나올 자리가 없어
옆을 비집고 나와도
늘 그랬던 것처럼 나는
묵묵히 자랐다

내 주위 잡초들이 풍성해도
개의치 않고 나대로
이 땅
이 흙에서
그렇게 그렇게
자랄 뿐이었다

바람이 몰아치고
비가 내려도

오직 이 자리에서
세월의 흐름만 탔을 뿐

녹천역에서 기다릴게

녹천역 승강장 벤치에는
종이 한 장 뒹군다.
'치매엄마를 찾습니다.'

대합실 게이트, 카드를 찍는데
노점상이 하나라도 더 팔기 위해 몸부림치듯
한 장, 한 분이라도 만나 전단지를 나눠주기 위해
딸은 그 추운 날 바람막이 한 장 걸친 채 서성인다

언제 나간 건지 알 수 없지만
'엄마 나 돌아올 거라 믿어
나 녹천역에서 기다릴게'
전단지를 나누어 주는 장갑 낀 딸의 손은
간절함을 담는다

저녁 퇴근길,

청테이프로 역전에 붙이고 간 전단지는

매서운 바람에도

펄럭이지 않는다

* 이 시는 2015년 〈대한민국장애인문학상〉 시부문 우수상으
로 선정되었다.

손때 묻은 것들

나 태어나고 할머니는 두 번 이사하셨지
이사할 때마다 정리가
제일 오래 걸리던 방은
할아버지 방이었어

고전 영화를 좋아하셔서
먼지가 덮인 비디오도 많았고
일본인처럼 일본어를 구사하셨으니
사전도 어마어마했지

어느 날, 잘 신으셨던 신발 신기를 버거워하시고
입원한 동네 병원에 가시고는 여기가 어디냐 물으시네
나에겐 낯선,
너무나 낯선 모습이야

초저녁부터 열 시까지
여전히 비밀 방인 그곳을 정리하시고
짐 꾸러미 한가득 들고 오신 엄마 아빠

온갖 생활용품이 담긴 꾸러미 속엔
접힌 액자 하나가 있었어
나 그리고 누나
우리 쌍둥이 돌 사진이었지
접힌 액자를 펼치는 순간,
펑펑 울어버렸어
나 눈물 잘 참는 사람이거든

쿰쿰한 냄새가 가득했던 방은
침대 매트리스와 티브이장만이
주인 없는 빈방을 지키고
토요일 아침, 온기가 남았던 방이 아닌
여전히 적응 안 되는
할아버지를 만나러 가고 있어
요양원으로

오지 않는 너

지금, 당장

내일은 해가 뜰 것이라고 말했습니다
비 온 뒤, 땅은 굳을 것이라고 말했습니다

하지만
컴컴한 동굴 속에서 두려움을 떠는 그에게
해는 머릿속에 떠다니는 단어일 뿐,
차가운 비가 떨어지는 땅은 신발과 바짓가랑이가
엉망진창이 되는 진흙일 뿐입니다

동굴 속에서 필요한 건 우리가 내어주는 온기,
푹푹 빠지는 진흙 속에서 필요한 건 마른 땅으로 올려주는 것,
그것입니다

내일의 갠 하늘을 기다리는 것은 가혹합니다
땅이 말라가는 것을 기다리는 것은
땅과 같이 앙상하게 말라가는 나 자신을 바라볼 뿐입니다

동굴 속에 움츠린 이에게
촛불로 밝혀주세요
진흙 위에 서 있는 이에게
손길을 내어주세요

지금, 당장

색종이로 접는 세상

알록달록 색종이로
세상을 접는다면
어떤 세상이 나올까

초록색으로 나무 한 그루 심어
오가는 사람들이
잠시 쉬는 그늘을 만들고

흰색으로 가로등을 세워
밤길에 어둠을 밝힐 거야

분홍색으로는
작은 집을 지어
고단함을 내려놓고

하늘색으로
넓은 하늘을 만들어
언제나 날아다니는
자유를 선물하고 싶어

그렇게
그렇게
누구 하나 고민 없이
즐겁게 웃을 수 있는
세상을 곱게 접을 거야

시인의 미소

알고 지내는 한 시인의 얼굴에서
기분 나쁜 표정을 본 적이 없다
미소 머금는 표정과
진지한 표정만 봤을 뿐

사진 속에서 웃음 짓는 시인을 보고
같이 아는 지인에게 툭, 건넨 한 마디
– 사진으로 봤는데도 부처님 광채가 빛나요
그런 얼굴 처음 봐요

그의 시를 읽을 때면
물결처럼 읽으며 넘실거리다
마지막 한 줄 속에서
해안가 모래사장 끝에 오는
파도 소리에 흠칫한다

짧은 한 편, 한 편이지만
그 한 편이 빛나는 것은
강가에 가로수가 비치는 것처럼
그의 미소가 시에 그대로 비치는 까닭이겠지

풍선의 꿈

풍선을 불어요
후 후 후 후
빵하고
터질 때까지

너무 힘들어도
쉬지 말아요
풍선 속 바람이
칙———
소리 내어 빠져나가요

꿈을 키워요
영차영차
달려와
꿈의 문이 활짝
열릴 때까지

너무 지쳐도

고단해도

주저앉지 말아요

우리의 꿈이

후다닥

저 멀리 도망가요

학과 비행기

오지에 있는 사람들에게 행운을 주기 위해
종이학을 접는다

산 접기를 하고
다시 반을 접어 안쪽을 밖으로 밀고
그 다음 양 옆을 접고

종이접기 책을 따라 하지만
아무리 해도 나의 손으로는 학이 접히지 않는다

방문에서 종이와 씨름하는 나를 보시고는
엄만 말한다

- 아이들에게 학을 선물해 주는 것보다
접기 쉬운 비행기를 접어 보내는 것이 낫지 않아?
학이 행운을 준다는 의미도 있지만
비행기는 날 수 있다는 희망을 주잖아

접던 학을 과감히 버리고
내가 접을 수 있는 비행기를
다시 접는다

학이 행운의 상징이 되지만
세상을 날 수 있다는 희망도 되는
비행기니까

제2부
억울한 자의 항변

하루아침에 굳는 돌이 아니다

벽에 붙은 돌이 하루아침에 굳은 돌인가
굴착기에도 잘 부서지지 않는 그 돌이
일 년이 지났다고
십 년이, 백 년이 지났다고
부서지겠는가

부서졌으면 벌써 부서지고 말았다
영겁의 세월 동안
비바람을
태풍을 한 번은 겪었을 것이다
두 번은 겪었을 것이다
세 번은 겪었을 것이다

박힌 돌은 하루아침에 굳은 돌이 아니다
수많은 세월을 지나오며
비, 바람,
그리고 번개
그 모든 것들에 흔들리지 않으려고
땅을 짚고 나무를 잡았을 것이다
안간힘으로 버텼을 것이다

수압이 높은 물을 뿌리고
온도 높은 불을 붙여도
빠지지 않는
녹지 않는

결코, 가벼이 생각하지 말라
빼내려는 망치만 두 동강 날 뿐이다
빼내려는 손에 주르르 피만 흐를 뿐이다

속이 없는 조개

광안리 해변 조개를 주워 흐르는 물에 씻어보니
껍질만 반질반질할 뿐 알맹이가 없다

고급 요리를 위해 부산까지 내려가 좋은 재료를 구해서
요리연구 시작하니 막상 알맹이가 없는

나는 스승한테 말한다
— 잘못했습니다 전 나름 좋은 재료를 구하러 간 것이 그만

스승이 말한다
— 이놈아 산지에 간다고 다 신선하냐? 그냥 냉동으로
해. 백날 산지만 쫓아다닐 거냐?
음식에는 재료도 중요하지만, 양념과 정성이 더욱 중요
한 것이야

나는 스승의 말에 머릴 조아리면서도

고개가 갸웃거린다

양념이 고급이라도 재료부터 신선해야 하는 거 아닌지

원고지와 백지

나는 글을 쓸 때 원고지를 편다
컴퓨터로 쓰는데도
아직도 200자 빨간 원고지를 편다

지금은 얼마나 원고지를 사용할까?
자필(自筆)로 쓰는 작가들은 몰라도
컴퓨터에서 출발하는 글들은
흰 백지에 써 내려갈 것이다

세상은 백지처럼 아무것도 없는 곳에서
상상의 날개를 펼치라지만
학교에선
오늘도 원고지로 수업한다

백지를 주더라도 글자만 삐죽삐죽

크기가 들쑥날쑥

무슨 내용을 적는지도 모르면서

글자만 억지로 채우고 있다

십 원, 오십 원의 종이 한 장에

만 원, 십만 원, 백만 원으로 만들기 위해

아침 일곱 시에 일어나 학교에 가지만

아이들은

정작 천 원짜리 글만 쓰고 있다

재가 되지 않은 오늘

3 · 1운동 백 년으로 가는 길,
이 땅에 썩은 것들은
작은 촛불, 촛불로 태웠다

비가 오고
눈이 오고
바람이 불어서
촛불이 꺼지면
다시 불을 붙여 썩은 뿌리를 태웠다

그리고 다시 씨를 뿌렸다
간절한 염원으로
새 꽃이 피기를

그러나 흙을 거르지 않고
씨앗을 뿌린 탓인가,
이름만 바뀐 채
모습만 달리할 뿐,
여전히 썩고 있다
같은 모습으로

비와 눈,
그리고 바람
그 온갖 것들을 막고 막아 지킨 촛불은
어느새, 점점 꺼지고
모습만 바뀌어 돌아온 오늘

오율한 자의 앞표

암흑으로 가득한 창밖을 보며
내가 앉은 자리만 따스하다면
내가 가는 길만 깨끗하다면
아무리 내 동네가 무너져 가도
오물이 진동해도
갈 곳만을 바라보며
걸어가면 되는지
고뇌로 내뱉은 한숨만이 창문을 덮었다

썩은 것들은 촛불로 태워도
단지 재로 보인 것일 뿐
재가 되지는 않은 오늘이다

살인

인도의 성인이 당부하시되,
입은 도끼
말은 칼 한 자루라고 말씀하시고
또 말씀하셨지만

세상은 입이 표현이라고 하고
말 한마디가 자유라 하네

입이 꽃이고
말이 솜 한 가락이지만

그 꽃에 가시가 돋고
솜 한 가락에 칼날이 도사리는
정글

정글에서 그 가시와 칼날에
누군가는 베어지고 있다

억울한 자의 항변

나는 삼십 센티 자입니다
누구에게나 삼십 센티 안에서
길이를 재고
그 길이를 알려주고 있습니다
모양이 다를 수는 있지만
길이는 절대 다르지 않습니다
삼십 센티

저를 가지고
한국 사람이 잰다고 해서
미국 사람이 잰다고 해서
일본 사람이,
중국 사람이 잰다고 해서
삼십 센티를 사십 센티로 보고
오 센티로 읽지는 않습니다

삼십 센티 자로 재는 길이는
그 기준점만 같다면
언제 어디서나 같은 길이로
나는 말합니다

아, 제 0의 눈금 위치를 다르게 두어서
길이가 달리 보이나요?
그렇지만 제가 그 기준을 잡은 것은 아니잖아요

진도 앞바다에서 멈추어버린 세상

세상이 멈췄습니다.

진도 앞바다에서
세상이 멈췄습니다.
슬픈 바다에 우리 친구가 있습니다.
우리의 가족이, 선생님이
그 차가운 바다에 있습니다.

세상의 모든 신에게 기도합니다.
유속(流速)이 잠잠해지게 해주소서!
제발 오늘은 바람을 보내지 마소서!

간절한 기도에도
그들은 대답이 없었습니다.
목 놓아도 불러 봐도 묵묵부답입니다.

외침만이 가득했던
기도만이 간절했던 시간 끝에서
주인 잃은 스마트폰만 올라왔을 뿐입니다

손에 꼭 쥐고 있던 스마트폰에는
우리가 기다리던 답이 들어있었습니다

엄마, 사랑해!
친구야, 미안해!
선생님, 감사합니다!

그들의 답을 듣고 있던 교실에서 칠판 한가운데,
숙제 하나가 크게 쓰여 있습니다.
'꼭 돌아오기'

새해 인사가 슬픈 오늘

보신각종이 울렸어
여기저기에서 폭죽이 터졌고
고속도로는 새해 첫날 일출을 보기 위해
밤새도록 달리는 차로 가득했지

아침에 눈을 뜨니,
새해 복 많이 받으세요
올 한 해는 좋은 일만 가득하세요
문자와 카톡이 여기저기 울리더군

그런데 올해도 복은 받을 수 없어
아마 평생 복 받으라는 말을 들으면
하염없이 눈물만 흐르겠지

제주도 간다고 웃으며 집을 나섰을 때,
많은 추억 가지고 돌아오라는 생각과
그 며칠은 자유라는 생각으로 기쁘게 보냈는데

그게, 너를 보는, 마지막일지, 몰랐어

벌써 두 번째 겨울을 맞고 있어
아직 너는 바닷속에 있고

미안해
이 말밖에는 할 수가 없어
보고 싶다
이 말조차도 할 수가 없어

딸아,
오직 이 말을 유일하게 할 수 있겠구나
딸아,
딸아,
딸아,

사랑한다,
딸아,

꼭 만나자 우리, 꼭

태극기 그리고 노란 리본

캄보디아 해외 봉사를 같이 간 친구가 가슴에 달고 있던
태극기 배지를 현지 고등학교 친구에게 옷자락에 달아준
그 손이 머릿속을 스친다
그곳에 갔던 이유를 말해주던

한국문화교육론을 듣기 위해 앉아있던 강의실에서 들은
진도 앞바다 소식이
그렇게, 그렇게 웃음을 잃어버릴지 몰랐다
티브이 뉴스 앞이 간절한 기도처가 될지 몰랐다

거리 곳곳엔 노란 리본이 달렸고
삼 년이 지난 지금도 가방과
스마트폰에는 여전히 달려있다

오 년 전, 자랑스럽게 달아준 태극기가
삼 년 전, 미안함에 늘 지니던 노란 리본이
지금 총이 되고,
칼이 되어 서로를 겨누고 있다

캄보디아에서 자랑스럽게 달고 있던 태극기는
나의 고국이고
아직 팔에 차고 다니는 기억 팔찌는
가족일지 모르는
친구일지 모르는
그들의 간절함,
그리고 기억일 뿐이었다

단지, 그뿐이었다

무지개

몇 번이나 무지개가 떴을까?
겨울이 지나고, 또 겨울을 맞는 지금까지

꼭 구해줄 거라는 바람이
바닷속에서 맴돌았지만
그들은 믿을 수 없었겠다

꼴
깍
꼴
깍
하루하루 숨이 멎어가고
무지개를 다리 삼아 올라가야 하는
길목에서 교복 옷깃을 만지작거리며
얼마나 억울했을까,
얼마나 분노했을까,

지금이라도 나갈 수 있다는 희망으로
무지개 길도 외면한 채,
차가운 바다에서
온몸을 움켜쥐고 있을지도 모르겠다

미안하다,
미안하다,

얼마나 그들에게 더 무릎을 꿇어야 할지 알 수 없지만
오늘도 무릎을 꿇는다

그리고 다시, 손을 모은다
내일 아침엔 무지개가 뜨기를
올겨울엔 춥지 않기를

온유한 자의 한때

옥상에 앉은 졸업생

안산의 한 고등학교에서는 졸업식이 열렸어
꽃도 팔고 카메라 셔터가 터지는 북적북적한 졸업식이
아닌
모두가 숙연한 졸업식이 되었지
그렇지만 어느 누구도 그 졸업식이 이상하다고 생각하지
않았어
훌쩍거리는 졸업식을

그런데, 그런데
졸업식이 시작될 무렵, 한 무리의 새 떼가 나타났어
교정 몇 바퀴를 돌더니 옥상에 살포시 앉았지
오랫동안 날개도 펼치지 않은 채

이렇게라도 오고 싶었던 거구나
이렇게라도 함께하고 싶었구나

코끝이 아리면서도
나는 미소를 머금을 수 있었어
오늘 졸업생이 되어주었기에

졸업식이 끝난 뒤,
새들은 하늘 위로, 더 위로 날아갔어
다시 진도 팽목항으로
태평양,
저 대서양까지 날아가겠지

그래, 이제 여기저기 다니며 펼치지 못한 날개로
훨훨 날아
훨훨
저 멀리까지

제3부
날개

인생

예보는 있었지만, 교회 철탑까지
바닥에 뒹굴게 했던 바람은
주말 나들이를 나서던 발까지 묶이게 했다

우리 집 난간까지 두드리던 바람

바로 어제까지만 해도
400년 된 수목까지 아-자작 부러트리던
그 바람이 훑고 지나갔지만
오늘은 흔적 하나 없이,
구름 한 점 없이 고요하다

모든 것을 훑고 지나간 바람,
그 바람은
어느 곳에서인가 소멸했다는 뉴스 자막이 흐른다

소멸 소식 뒤에 또 제주 밑에서

다른 태풍이 북상한다는 소식이 전해지지만

그 태풍이 동쪽으로 틀어 일본으로 빠져나갈지

우리나라로 올지

아니면 어디선가 소멸할지 모르는 일

태풍이 지나간 오늘,

바로 어제 무슨 일이 있었는지 모르게

잔잔한 바람만이 불고 있다

또 언제 무시무시한 바람이 불지 모르겠지만

행복으로 가는 길

하늘 향해
가운뎃손가락 올렸죠
하고많은 사람 중
왜 나입니까?

세상을 향해
두 다리 주먹으로
마구마구 내리쳤죠
왜 힘겨운 삶을
살게 했습니까?

하늘을,
세상을,
원망하고 원망했습니다

하지만
주어진 길을 걸으며

조금이라도 쉬어갈
쉼터를 찾았고
몸이 가벼워 헐레벌떡
가는 이들과 달리
숨 고르며 한 발 한 발
천천히 나아가는 방법을
배웠습니다

조금씩,
조금씩,
삶의 무게 덜자
휘어진 내 등도
점점 곧게 펴졌습니다

걸어온 길을 되돌아보니
하늘은 저를 사랑했습니다
세상은 저를 보듬었습니다

하늘이 던진 돌덩어리

때론 버겁고

지치지만

힘차게 내딛겠습니다

세상 속으로

로또복권

수락산 주공아파트 상가 한 가게 앞엔
수요일 한낮, 사람들이 긴 줄에 서 있다

누구도 알지 못하는 정답을
줄 서서 기다리는 사람들을 향해
'벼락 맞을 사람이 저렇게 많냐'
고갤 저었던 그가
이제는 그 줄에 서 있다

여름날, 그의 문갑 위
수많은 영수증이
선풍기에 흩어지며
툭, 작은 종이가 떨어져
주워보니 두 자리 숫자들이
직사각형을 그린다

지난 겨울 요리사가 되겠다고
그의 딸아인 바다 건너 가버렸다
그가 삼복더위에 긴 줄을 서는 이유

미풍에 떨어진 종이 한 조각
영수증 사이로 포개고
문갑 위에 놓인
플라스틱 카세트를 얹는다

선풍기를 끈다
더는 떨어지지 않게

쪼개진 타일

빨간 무궁화호, 시멘트 운반 기차,
많은 기차를 구경했던
할머니 집 마당에서
매끈한 돌멩이를 손에 쥔 채,
얼굴을 비비며 웃음 지었던
어린 날

이십 년간 정든 연희동을 떠나던 날
이삿짐 꾸리는 가족에게서 벗어나
2층 테라스 바닥 타일을 떼서
물수제비뜨듯 던졌다

첫 타일은 두 조각
두 번째 타일은 네 조각
세 번째 타일은 세 조각
개성 있는 조각들이
여기저기 쌓였다

너 아저씨가 이놈! 한다는
엄마의 위협에도
두 조각, 세 조각으로 갈라지는 희열에
아랑곳하지 않는다

세월이 흘러 저 세상 문이 열리는 날
내 손등 살점도
저 타일 조각처럼
조카 녀석 손에 힘없이 뜯길까
이미 갈라진 조각들을 바라본다

산책길에서 만난
벽돌은 힘없이 튀어나오고
시멘트 갈라지는 담벼락 옆에서
내 손등 살점을 조심스레 만져본다

허물어진 집

골목 어귀에 있던 단독 주택,
내 나이보다도 오래되었을 거야.
밤늦게 외출해 돌아오는 길엔
불이 켜져 있었어. 불과 며칠 전까지만 해도.

어제 그 골목을 지나는데 큰 갈색 대문이 홀랑 없어지고
현관으로 향하는 계단도 허물더라고.
그때까지만 해도 나는,
너무 오래된 집이기에
"인테리어를 다시 하나?" 생각했지.

집으로 돌아가는 저녁,
인부들이 팬스를 설치하더군.
그제야 이 집을 허물고
새 건물이나 빌라를 짓는다는 사실을
알아챘지.

나보다 형님인 집에서
한 아이가 태어나 학교에 다니고
사회에 나가 가정을 이룰만한 세월이
집만 보더라도 보였는데
지난 며칠, 불 켜진 날들은 얼마나 쓸쓸했을까.

허물어진다 해도 기억할 거야 땅은.
웃음소리가 끊이질 알았다는 것을.

지나간다

중국 우한에서 넘어온 코로나19가
대한민국 곳곳을 물들였다
뉴스에서는 외출 자제령이 연이어 흘러나오는데

중요한 회의가 있어 찾아간 혜화
토요일 12시 50분, 버스킹과 벼룩시장
여러 장면이 함께해야 할 마로니에공원인데
약속한 주말이 맞나,
핸드폰 달력을 확인할 정도로 한산한 오후

공연 판매 아르바이트 청년들이
오늘의 좌석을 팔기 위해
예매했는지 연신 묻고 묻지만
눈동자조차 맞추기 어렵다

예보 없던 눈보라까지 몰아친다
버스정류장에 딱 붙어있던 연극 포스터는
강력한 접착력을 뚫고
버스 도착알림판으로 도망치고
사람들은 이게 뭐야,
이게 뭐야 하며 몸을 피한다

어떻게 가지,
택시를 불러야 하나
미간이 찌푸려지는데
이어폰을 낀 귀에선
김범수의 노래가 흘러나온다
지나간다,
이 고통은 분명 끝이 난다

처마 밑으로 뛰어든
사람들 사이에서 멍하니 하늘을 바라보는데
눈보라가 몰아친 지, 십 분도 되지 않아
점점 잦아들고
구름이 걷히고 해가 난다

펴졌던 우산들은 접히고
처마 밑 사람들은 다시 갈 길로 나선다

이 이별의 끝을
마침 김범수 노래가 끝난 것이다

날개

저 푸른 하늘 날고 싶어
힘찬 날개
펼쳐봅니다

퍼드덕 퍼드덕

저 높은 곳을 오르려
두 날개 펴지만
정말
저 하늘 오를 수 있을까
물음표만 남깁니다

꼭 높은 하늘만이
좋은 세상 아니라고
사람들은 다독이지만

그곳만이 희망과 평화 있어

오늘도 하늘 향해 두 날개

펼쳐봅니다

퍼드덕 퍼드덕

붉은 노을

대학로 마로니에를 지켜온
터줏대감 두 아저씨의 무대는
아르코예술극장 담벼락

마이크 하나 없습니다
조명 하나 없습니다
목 하나가 마이크
햇볕이 조명입니다
겨울엔 흩날리는 눈발이
특수효과고요

청테이프로 여기저기 붙인 낡은 기타 하나,
가운데가 뻥 뚫려 가장자리를 두드리는
작은 드럼 북 하나,
그리고 아저씨들의 유쾌함,
조각조각들이
사람들의 발을 멈추게 했고

맛깔나는 욕 한마디는
까르르 배를 잡을 정도로
웃게 했습니다

어느 날, 오래도록 마로니에를 지켜온
아저씨가 우리에게 전해온 병마 소식에
'왜?'라는 한 글자를 내뱉었습니다.
공연 막바지에 소년소녀가장을 돕는다며
흐뭇하게 사람들의 지갑을 열었던 그였기에
왜, 라는 저의 의문사가
참 애석하기만 했습니다

알이 없는 안경으로 사람들을 웃기던
아저씨가 없는 마로니에를
상상할 수 없습니다
'행복해서 웃는 것이 아니라
웃어서 행복한 것'이라고 말하던

다시 한번, 아르코예술극장 담벼락에서
그가 부르는 붉은 노을을 듣고 싶습니다

마로니에에서 붉은 노을처럼 떠오른
그를 다시 보고 싶습니다

꼭

시계의 삶

시계가 말을 건다

난 오늘만 힘차게 도는 게 아니야
어제도 그랬고
너 티브이 볼 때도
컴퓨터를 할 때도
건전지가 닳는 그 순간까지
어제처럼, 지금처럼 돌 거야
누가 보든, 말든
누가 듣든, 말든
이 소리
이 속도로

사계절

봄이면 벚꽃이 피어
여의도는 연인들의 사랑 내음새가 솔솔 나고

여름이면 햇볕이 자리하고 있어
해운대는 사내들의 우정 내음새가 풀풀 나고

가을이면 낙엽이 바스락 소리 내며
정독도서관은 오래된 소설책 내음새가 칙칙 나고

겨울이면 함박눈이 소리 없이 내려
연탄으로 달구는 시골 할머니 집 안방엔 군고구마 내음새가
달달하다

연인들이 깍지 손을 맞잡고 걷던 여의도의 봄이 가고
죽마고우와 책을 읽던 남산의 가을이 가고
군고구마의 달짝지근한 냄새가 굴뚝으로 흘러나오는
겨울이 가는 것을
우리는 쓸쓸해하지 말자

더 고운 벚꽃과
더 뜨거운 햇볕
더 진한 낙엽
더 많은 함박눈이
내년에도
찾아올 것을 우린 믿으니까

제4부
등대

나는 이런 사람이 좋습니다

나의 걸음에 발을 맞춰줄 사람이 좋습니다.
−왜 이리 느리냐. 빨리 가지 못하나
내 손잡고 질질 끌고 가는 사람보다는
"천천히 가자 괜찮아 시간 많아"
나의 속도에 맞추어 함께 세상을
걸어갈 수 있는 사람

흘리는 나와 함께 밥 한 끼 먹는 사람이 좋습니다.
−왜 흘리느냐 똑바로 먹지 못하나
다그치는 사람보다는
"천천히 꼭꼭 씹어 먹어"
입을 휴지로 닦아주며
미소 띠는 사람

부정확한 내 말로도 마음 나누는 사람이 좋습니다
-뭐라고? 똑바로 말해
나의 얘기에 짜증 내는 사람보다는
"미안해 다시 한 번만"
듣는대도 시간 걸리는 내 말도 한 글자 한 글자
마음을 여는 사람

불편함을 함께 품어줄 사람들이 곁에 있다면
험난한 이 세상 즐겁고 힘차게
날아다닐 것 같습니다

이
모

선물

- 가수 백아연의 데뷔 7주년 즈음에

그대, 어디서 왔나요?

그대, 어디에 있었나요?

얼굴도 모르던

이름도 모르던 그대였지만

오래도록 기다리고 기다렸습니다

아무것도 몰랐던 기다림 속에서

그대는 눈과 귀를 두드렸고

삶 속으로 다가왔습니다

당신의 목소리는

방앗간에서 막 나온 백설기처럼 부드러웠고

당신이 내어준 손은

모락모락 피어나는 연기처럼 따스했습니다

그리고 당신의 미소는

산봉우리에 쌓인 눈처럼

먼 곳에서도 보였습니다

부드러운 목소리,
따스했던 손,
환하게 보였던 미소를
제 마음 곳곳에 고이 두었습니다

어느 일요일 저녁,
선물처럼 다가와
잊을만하면 인사를 하고
또 잊을만하면 손짓을 하는
그대, 어디서 왔나요?
어디에 있었나요?

어제는 선물처럼 제게 왔지만
오늘은 당신에게 한 발짝 다가가고
내일은 다가간 그 자리에서
당신을 만날 것입니다

내일도,
그 내일도,

등대

— 청춘라이터 정예원이 만드는 숲속에서

파도가 잔잔하고
하늘길이 허락해야
건너는 제주에서
노래를 곁에 둔 소녈 만났습니다

한 음, 한 음,
가사 하나, 하나를
수줍게 부르던 소녀는
곁에만 두었던 노래들로
작은 숲을 만들었습니다

한없이 작은 숲이었고
마주한 나무들도
작은 묘목에 지나지 않았습니다

하지만 아직 자라지 않았을 뿐,
멀리서 보이지 않았을 뿐입니다

한 발짝 다가가니
하나, 하나에 물을 주고 있었고
더욱 울창하게 만드는 모습이
두 눈으로 또렷이 보였습니다

그 모습 오래도록 지키고 싶어졌습니다
그 숲에 오래도록 머물고 싶어졌습니다
지키고 싶은 마음 하나,
머물고 싶은 소망 하나를 모아
작은 숲을 지키는 등대로 남고 싶습니다

해가 뜬 날에는 먼 곳에서 그녀를 비추고
작은 별 하나 떠 있을 때에는 가까운 곳에서
그녀를 향해 비추고 싶습니다

정성이 담긴 한 음, 한 음이 퍼지도록
진심을 담은 노랫말 하나하나가 전해지도록

그대가 있는 곳이라면

    – 가수 백아연의 데뷔 8주년에 부치며

그대, 어디서 왔는지
궁금했습니다
어디에 있었는지
묻기도 했습니다

아홉 해 전, 목련이 피던 길목에서
귀를 사로잡았던 목소리에 총총거린 걸음을
멈춘 그 날을 잊을 수 없습니다

다가가고 있는 저에게
나 여기 있었다고
나 여기서 기다렸다고
그대는 그렇게
대답해 주었습니다

목련이 피는 봄에 올지
장마가 오는 여름에 올지
낙엽이 밟히는 가을에 올지
아니면 흰 눈이 내리는 겨울에 올지

한없이 기다리는 날이지만
그 언제라도
그대가 오는 날은
피식피식 웃음이 나는
그런 날이었습니다

그대, 언제 오는지
어디에 오는지 알 수 없지만
그 언제라도 기다리고
그 어디라도 달려가고 싶습니다
그대가 있는 곳이라면

이
무

동네에서 함께

서울에서 부산을 향해
철길 위를 달리는 KTX 창 속에는
빽빽한 건물들이 즐비한 도시와
한 해 농사를 위해 밭 가는 시골 아저씨,
잔잔한 물결이 넘실대는 강이
파노라마로 지나가네

도시와 농촌을 가로질러
강가의 풍경들로
가슴이 뛰고
눈동자가 동글 대는 이 순간

설렘 가득한 풍경들이
누군가에게는 간절한 희망이 되고
그 풍경들이 꿈이 되고
그 희망들이 외로움이 되는 시간

오늘도 그 시간을 보내고 있다
다르다는 단 하나의 이유로
딱딱한 방바닥 위에서
누군가의 눈동자 안에서 사는 하루

동지여,
친구여, 이제 함께하자
이제는 함께하자
봄의 따스함을 느낄 수 있는
하늘에서 내리는 비와 눈을 맞을 수 있는
매일 별을 볼 수 있는

그리고
마음껏 웃을 수 있는 이 동네에서
함께 술잔을 부딪치자
이웃으로 만나서

사월의 약속

어김없이 사월이 찾아왔어
구름 한 점 없는 하늘이지만
다가온 봄날에 햇살은 드리우고 있지

흩날리는 벚꽃들 속에서
노랗게 수놓은 유채꽃 속에서
연인들의 입맞춤과
벗들의 셀카들이 함께하는 날들

너희도 그런 추억들이 가득할 것이라는
기대로 부풀었겠지

춥고 추웠던 겨울이 지나
미소와 추억들이 함께하는 사월의 봄이지만
너희 미소는 찾을 수 없었고
우리의 웃음도 함께할 수 없었어
다만, 서로의 행복만 바랄 뿐이었지

두 손 맞잡은 사랑 속에서
킥킥거리는 우정 속에서
홀로 걷는 나에겐 속절없이 눈물만 흐르지만
그곳에 있는 너희들도
우정이 싹틔우고
사랑으로 열매 맺겠지

약속하자
훗날, 언제인지 모르는 그 훗날
함께, 함께 미루었던 봄을 맞이하자고
그리고 기억하자
우리가 함께하기로 약속한 사월을

나는 나대로

헬렌 켈러가 되라고 부추이지 마세요
눈이 안 보이는 그녀처럼
누군가의 부축 없이 걷기 버겁지만
화려한 수식어가 붙여진 아이콘으로
불리길 바라지 않아요
하루하루 달리며
밤하늘에 뜬 달을 맞을 거예요

베토벤이 되라고 강요하지 마세요
귀가 안 들리는 그대처럼
어눌한 언어로 모든 이들과 말동무는 되기 어렵지만
오래도록 응원하는 가수 팬미팅에서
함께해줘서 고맙다고 마음 전하고
한마음이 된 팬들과 그녈 향해 박수 칠 거예요

그래요

나는 나대로

함께 일하는 동료들과 땀 흘릴 거고요

한마음이 된 사람들과 소리 지를 거예요

다가온 순간, 순간에서

헬렌 켈러가 되지 않아도 돼요

베토벤이 되고 싶지 않아요

나는,

나의 모습 그대로 세상을 살아갈래요

오늘처럼 말이에요

짙은 우정으로

고백하고 싶었어
관심 없다고 딱 잘라 말해도
숨기는 것보다 낫다고 생각해서
용기 내, 고백하려고
이 순간을 기다렸어

널 보면 너무나 설렜고
웃음이 멈출 수 없었어
누구나 눈치챌 정도로
서로 마주 보며
함께하는 자체가 너무,
너무나 행복해서 소설『모모』속에 나오는
회색 신사들에게 시간을 훔치게 하고 싶었어

지금도 입속에서 맴도는 고백이지만
그러면 너와 멀어질 것만 같아
침만 삼켰어

언젠가 너의 청첩장이
우편통에 온다면
가슴이 터질 듯 아려오겠지
다시 사랑이 불타오를 수도 있고

하지만 이젠 그 사랑을
우정이라는 포장지로 감쌀 거야

언제나 만나면 허심탄회하게
털어놓는 둘도 없는 친구로

이모

생화와 조화 사이에서

첫 개인전을 연 작가에게 드릴 선물을 고르는 사내가
무슨 선물이 좋을지 몰라
생화 한 다발, 그리고 편지 하나에 마음을 담습니다

꽃을 사기 위해 멈춘 꽃집 앞에서 서성입니다
─ 생화를 사면 금방 시들 텐데,
차라리 생화보다
아름답고 오래가는 조화가 낫지 않을까?
꽃집 맞은편, 꽃 자판기 속 드라이플라워에 눈이 가지만
반짝이까지 뿌린 생화에 미소가 절로 지어집니다

싱싱한 생화를 물이 든 병에 꽂는데도
며칠만 지나면 금방 시들겠지만
시들어도 내일을 말할 수 있는 생화를
첫 개인전을 연 작가에게 수줍게 전합니다

제5부
그 자리에서

그 자리에서

언제나 내 옆에 계신 님이시여
당신의 크신 자비를 모르고 살아가고 있습니다
그 무엇과도 비교할 수 없는 넓은 가슴으로
품어주시는 님이시여
힘이 들 때, 당신을 부르면
내 옆에 오시는 님이시여
그런 당신께 오늘도 다가갑니다

항상 나를 이끄시는 님이시기에
크신 사랑을 모르고 살아가고 있습니다
당신의 넓은 마음으로
품어주시겠지
외로울 때, 두 손 모아
한 마음으로 부르면
내 앞에 오시는 님이시여
그런 당신께 오늘도 다가갑니다

착한 사람들

촛불 하나 심고 내 마음도 심고
가벼운 마음으로 삼배를 올려요
친구들과 나쁜 말을 한 일
부모님 말씀을 어긴 일
모두 반성하고
부처님 앞 휴지통에 싹싹 버리고
부처님 가르침대로 살아가면
우리는 착한 사람들

법당 안에서

살살살
똑 부러지지 않게
향 잡아
부처님 앞에 놓인
촛불로 불씨 붙여
향로에 꽂아요
두 손으로
조심조심
온 마음 다해

똑똑똑
목탁 리듬 맞춰
고운 목소리로
불경 외워요
한 글자
한 글자
정성 가득 담아

딱딱딱

죽비 소리 맞춰

단전 앞에 가지런히

두 손 모아 참선해요

마음 비우고

나를 돌아보아요

나는 누구인가

참선하며 법당에서

자신을 돌아보는

우릴 바라보시며

부처님

방긋 웃으시네요

어둠 속에서

새벽녘 잠자리에서 일어나
저 달을 올려다봐
밝게 떠 있는 저 달이 부처님 모습처럼 보이지 않니
까만 어둠 속에서 한결같이 빛나듯이
부처님도 우릴 하염없이 바라보실 거야

따뜻한 이불 속에 누워서
높이 떠 있는 저 별을 바라봐
반짝반짝 빛나는 저 별이 부처님 가르침 아니니
까만 어둠 속에서 한결같이 반짝이듯
우리들의 마음속에서 지혜로 빛날 거야

한순간

미워하고, 미워하는 마음이
즐거운가?
행복한가?
잠시,
아주 잠시

가진 걸 모두 주어서
불안한가?
아까운가?
잠시,
아주 잠시

모든 것을 두고 가는 순간인데
내 것도 아닌 것들을
무엇 때문에 놓지 못하는가?

붓다를 찾다

붓다여!
이 세상 속
어느 억새밭에
어떤 화신으로 계십니까

혹
너무나 뜨거운 이 세상에 데여서
떠나신 것은 아니시죠?

부처님의 작은 집에서

아스팔트를 달군 여름날,
아지랑이 피어오른 철길을 따라
경부선 열차는 신탄진으로 달린다

손바닥이 맞닿아 걸은 지도 어언 여섯 해,
스승과 제자라고 말한 적은 없지만
일주문은 알고 있었다

고기 한 점 없는 상을 마주하며
도반과 스승, 그리고 나는
깻잎의 고소함이 코를 취하게 하고
오이의 아삭함이 귀를 신나게 한다

저녁 뉴스가 흘러나올 시간,
찻상을 마주 삼아 풀어내는 담소는
얼었던 몸을 달래는 보이차와
국화향이 온몸을 물들게 하는 국화차로
풀고 푸는 말 주머니는
우린 찻잎들이 퇴수 그릇에 가득 쌓여야
바닥이 보인다

작은 마루에 등이 꺼지고
백의관음 족자 비추는 촛불은
오른쪽, 왼쪽으로 흔들린다
이불을 토닥이는 보살님의 손처럼

부처님 내게 오신 날

가로등과 가로등 사이에 걸린 연등 밑을 거닐며
당신과 만난 그날을 떠올립니다
마음 둘 곳을 찾아 오르는 산사,
그곳으로 열두 해를 향하고 있습니다

룸비니 길목에서 님을 맞이하는 것처럼
끊임없는 석가모니 정근으로 나오는 불심은
일주문을 넘는 다리로
일심(一心)으로 정진하는 도반으로 피웠습니다

'삼계의 고통은 내가 마땅히 편안케 하리라'
수행으로,
능엄신주를 회향할 수 있을까
머뭇거림은
간절함을 담아내는 기도로 화하였습니다

당신이 내게 오신 그날을 되새기며
오늘도 이른 아침 일주문에 들어서고 있습니다
'삼계의 고통은 내가 마땅히 편안케 하리라'

그분이 바라보는 마당에서

크리스마스트리와 아기 예수로 연말을 맞이하는
성당 마당은 주일 성수를 마친 아이들의 공놀이로 왁자
지껄,
그 속 한 어린이가 되어
그들과 함께 뛰어다니는 신부님에게
흐뭇한 표정으로 성모 마리아께서 말씀하시네
더 깔깔 대며 놀아도 돼

눈이 오나 비가 오나 화계사 일주문을 향해
전동스쿠터로 올라가는 길목에서
바람에 흐트러진 머릴 보시며
오늘 머리는 만졌느냐
농담 섞인 인사를 건네는 스님에게
환한 미소를 지으신 미륵부처님은 말씀하시네
그래 그거지

미사복을 입고 미사를 집전하는 신부님보다
가사 장삼을 수하시고 염불하시는 스님보다
성당 마당에서 공놀이하는 신부님의 미소 속에서
산사 마당에서 장난스레 인사하는 스님 모습에서
사랑으로 가득한 예수님이 보인다
자비로우신 부처님을 만난다

지금 그대로

산사로 오르는 길은 멀고도 험해라
전생의 업보로 받은 몸뚱어리이지만
붓다는,
붓다는 집착하지 말라 하시네
오직 너의 몸을 양약 삼아
내게 오라 하시네

법당으로 향하는 길은 높고도 험해라
누군가 귀에 거슬리는 염불 삼매지만
보살은,
보살은 신경 쓰지 말라 하시네
오직 한 생각으로
내게 오라 하시네

지금 그대로

네 몸과 생각 하나,

그리고

간절한 신심 하나로

내게 오라 하시네

가사 장삼을 수하는 날을 그리며

전생의 어떠한 업이 있었는지
알기 어렵지만
되돌릴 수 없는 오늘이기에
담담히 걸어갑니다

주어진 과보가 때론 버거워도
병고로써 양약을 삼으라는
보왕삼매론 한 구절로
두 팔을 걷어 올려 봅니다

나는 괜찮다고
살아가는데 단지 불편할 뿐이라고
갈대 같은 삶을 헤쳐나가는 순간,
작은 돌에 걸려 넘어져서
눈물이 떨어져도

땅에서 넘어진 자는 땅을 짚고 일어나야 한다는
대혜종고의 한 구절로
두 다리를 일으킵니다

간절한 기도와
물러남이 없는 수행으로
한 생이 저물고 돌고 돌아
청정하신 스승 밑에서 가사 장삼 수하며
치열하게 살아보겠노라 발원하고 발원합니다

보리수아래 감성 시집 3
도현 홍현승 시집

등 대

초판발행일   2020년 6월 25일

시인   도현 홍현승

펴낸곳   도서출판 도반

펴낸이   이상미

편집   김광호, 이상미

대표전화   031-465-1285

이메일   dobanbooks@naver.com

홈페이지   http://dobanbooks.co.kr

주소   경기도 안양시 만안구 안양로 332번길 32

불교와 장애인의 문화예술이 있는
"보리수아래"

보리수아래는 2005년에 청량사 지현스님(현 대한불교조계종 조계사 주지)의 제언으로 결성되어 불교와 문화예술에 관심 있는 장애인들의 문화예술 활동을 지원하고 그들이 재능을 발휘할 수 있는 기회를 제공하고 있습니다. 또한 그들의 재능과 능력을 살려 참된 신앙생활과 바른 포교활동을 하고 이 사회의 일원으로 더불어 살아가도록 지원하고 있습니다.

주요 사업은 장애인의 예술창작과 발표 활동, 장애인의 문화예술교육 지원, 장애불자를 위한 포교활동 및 신행생활 지원, 재능을 기반으로 한 출판 지원, 장애인의 사회적 인식 개선 등 다양한 사업을 하고 있습니다.

현재 월 1회 정기 모임을 매월 셋째주 토요일에 갖고 있으며 장애인 문화예술활동과 불교에 관심 있는 분이면 누구나 동참하실 수 있습니다.

많은 분들의 관심과 후원이 필요합니다! 정기후원,
일시후원, 물품후원, 재능기부, 자원봉사 등으로 후원
하실 수 있습니다.

■ 후원계좌 :

하나은행 163-910009-28505 보리수아래

국민은행 841501-04-027667 보리수아래

국민은행 220602-04-213491 최명숙(보리수아래)

■ 후원문의 :

☎ 02)959-2611

이메일 cmsook1009@naver.com

■ 홈페이지 :

http://cafe.naver.com/borisu0708